СЕРИЯ «МЕЧТАТЕЛИ»

СОДЕРЖАНИЕ

Наталья Гузеева

КАК ПЕТЯ ПЯТОЧКИН СЛОНИКОВ СЧИТАЛ

Художник Оксана Батурина

Харьков

PELiCAN

2015

КАК ПЕТЯ ПЯТОЧКИН СЛОНИКОВ СЧИТАЛ

Петя Пяточкин – рыжеволосый, курносый, глазастый, ушастый мальчик, егоза и непоседа. Он ходит в детский сад. Правда, спокойно ходить у него не получается. Но зато мчаться во весь дух, ползать и скакать – это выходит у него просто замечательно!

Пети-Пяточкины родители изо всех своих мамы-папиных сил стараются угнаться за сыном. А как же иначе привести его в детский сад?

На улице они ловят Петю у самого края самых больших луж, выуживают из-под колючих кустов, снимают с высоченных деревьев, выхватывают из-под колёс мчащихся машин…

И когда за Петей Пяточкиным наконец закрываются ворота детского сада, уставшие родители с облегчением вздыхают: «Пфу-у-ух! Теперь пойдём на работу, отдохнём…»

А ребята в детском саду всегда ждут Петю с нетерпением. Ведь Пяточкин – заводила всех игр и выдумщик весёлых проказ – умеет развеселить даже самых грустных детей.

Жаль только, что Воспитательница огорчается: ей с таким шалуном нелегко. Петя Пяточкин только пришёл – и уже съез-

жает с горки в ведре для мытья полов. Ещё
миг – и он таранит головой песочный замок,
который построили малыши. А ещё дёргает девочек за косички, а Катю, свою подружку, – даже
за два хвостика сразу.

«Когда же всё это кончится?!» – вздыхает Воспитательница.

Но день-то только начался! И Петя Пяточкин ещё только
начал шалить. При этом он, как всегда, распевает во всё горло
свою любимую считалку-кричалку:

Три, один, четыре – я самый лучший в мире!
Семь, восемь, шесть – хочу бананы есть!
Два, девять, пять – мне хочется играть!
Вот и десять, наконец, разве я не молодец?!

Настало время обеда. Воспитательница собирает ребят:
«Дети, станьте парами, я должна вас сосчитать! Мы идём в сто-
ловую».

Но её никто не слышит. Дети носятся как угорелые. Они бегают в догонялки, прыгают в чехарду, толкаются и кувыркаются
прямо на бегу! А как иначе?! Ведь с ними проказник и егоза Петя Пяточкин! А с ним, как всегда, его любимая считал-
ка-со-счёта-сбивалка:

...Два, девять, пять – мне хочется играть!
Вот и десять, наконец, разве я не молодец?!

В этот день Пяточкин разыгрался не на шутку, и терпение Воспитательницы сдулось, как продырявленный надувной мяч.

– Эх, Пяточкин, Пяточкин, – устало сказала она, – жить бы тебе среди обезьян и слонов в Африке!..

– Что ж, я не прочь! – весело ответил Петя, раскачиваясь что есть силы на качелях.

Как всегда, в тихий час все дети в детском саду крепко спали. Только Петя Пяточкин ворочался и, закрывшись с головой одеялом, бормотал свою любимую считалку-не-засыпалку:

Семь, восемь, шесть – хочу бананы есть!
Два, девять, пять – не хочу я спать!

– Пяточкин, сейчас тихий час, надо спать тихо, – сказала Воспитательница, осторожно приподнимая одеяло.

Но на подушке вместо Пети-Пяточкиной рыжей головы оказались... босые Пети-Пяточкины пятки!

– Не могу «тихо», могу только «громко»! У меня беш-шон-ни-ца, – раздалось с другой стороны кровати.

Петя только вчера услышал от бабушки слово «бессонница» и ещё не научился выговаривать его правильно.

Воспитательница шепнула Пете на ушко:

– Я, Пяточкин, знаю старинное лекарство от «бешшонницы». Оно очень простое: нужно только посчитать до десяти. Только до десяти, но обязательно с закрытыми глазами!

– Не-а, не буду! Это скучно – считать с закрытыми глазами, – не согласился Пяточкин.

– А ты посчитай... слоников! Если ты не можешь спать, надо слоников считать... Такое простое и весёлое лекарство, – улыбнулась Воспитательница. – Насчитаешь десять слоников – и сразу уснёшь!

– Сло-о-ников?

Вот это уже было интересно! Лучше уж слонов считать, чем целый тихий час слушать вздохи и охи Воспитательницы. Пяточкин лёг на бочок, сложил ладошки под щекой и закрыл глаза...

За закрытыми глазами Пети Пяточкина было темным-темно и даже немножко страшно, но зато очень тепло. Петя вдруг понял, что он оказался в непроходимой чаще африканских джунглей...

«Слоники! Где же тут слоники?» – бормотал Пяточкин, пробираясь между высокими деревьями и путаясь в лианах.

Но вот густой лес кончился, Петя вышел на полянку, осмотрелся и замер от удивления. По жёлтому берегу синей реки бегали и прыгали разноцветные слонята. Они ногами топали, ушами громко хлопали, трубили хоботами, вертели хвостами. И при этом ещё громко выкрикивали обзывалки и дразнилки, считалки и смешилки. Дым на берегу стоял коромыслом: такой слонята подняли визг и писк, гам и тарарам.

Пяточкин растерянно наблюдал за этой кутерьмой. Вот, оказывается, что получается, когда по берегу реки бегают и прыгают разноцветные слонята: голова болит, в глазах рябит, Африка вверх тормашками летит!

Вдруг к Пяточкину подбежал Рыжий Слонёнок, толкнул его и задиристо крикнул:

– Квачик, квачик, дай калачик!

– Я не квачик, – обиделся Петя, – я Петя Пяточкин из детского сада. – И он крикнул во весь свой Пети-Пяточкин голос: – Эй-эй, слоники! Постройтесь, пожалуйста, парами! Я вас должен сосчитать!

Но разве можно сосчитать разноцветных слонят, которые ни минуты не стоят на месте, бегают в догонялки, прыгают в чехарду, толкаются и кувыркаются прямо на бегу?! Их даже собрать вместе невозможно! А как иначе?! Ведь среди них – Рыжий Слонёнок! Это он – непоседа, егоза и выдумщик – проказничает больше всех и заводит остальных. «Прежде всего, нужно унять Рыжего, тогда и остальные утихомирятся», – догадался Петя.

И Пяточкин стал ловить Рыжего Слонёнка. Но не тут-то было: Рыжий лихо удирал от него, умудряясь хулиганить на бегу. Он разрушил башню из апельсинов, построенную синими слонятами. Порвал скакалку-лиану, через которую прыгали два розовых. Раскачавшись на высокой ветке, прыгнул на шею жирафу, съехал с неё, будто с детской горки, и свалился прямо на фиолетовую птицу, деловито долбившую баобаб. И тут же облил из хобота, как из шланга, обезьяну, задумчиво жевавшую банан.

Убегая от Пети Пяточкина, Рыжий Слонёнок все время распевал:

Семь, восемь, шесть – хочу бананы есть!
Два, девять, пять – не хочу я спать!

– Он поёт мою считалку! – возмутился было Петя, но присмотрелся к слонёнку повнимательнее и задумался. – Он напоминает мне какого-то моего знакомого... Он похож... похож... очень похож на... Неужели на меня?

Конечно, Рыжий Слонёнок был вылитый Петя Пяточкин! Такой же глазастый, горластый, ушастый, не рыжеволосый, зато – рыже-полосый, разве что не курносый, а просто длинно-рыже-хоботоносый.

И Пяточкину вдруг стало грустно. Он задумался, он расстроился, он чуть не плакал. Что же делать? «Если я не сосчитаю слоников, я никогда не усну! – размышлял Петя. – А значит, я никогда не вернусь домой. И что тогда? Неужели я останусь в Африке... навсегда?! Да ещё один, совсем один!»

Пяточкин сел на берегу реки и, уже не сдерживаясь, горько заплакал.

– Не одолжить ли вам, молодой человек, кхе-кхе, носовой платок, кхе-кхе, апчхи?

Пяточкин повернул голову и увидел Странного Зверя, с головы до ног закутанного в шкуры. Он сидел на берегу, опустив ноги в воду, и всё время кашлял, чихал и сморкался.

– Спасибо! – Не переставая всхлипывать, Пяточкин взял аккуратно сложенный чистый носовой платок.

– Я, видите ли, простудился. Вот, ноги парю. Кхе-кхе, апчхи! Вода в реке горячая. Как-никак, мы в жаркой Африке, – пояснил Странный Зверь-в-шкурах.

– А вы выпейте тёплого молока. Очень помогает при кашле, – посоветовал Пяточкин.
Он вспомнил, как его лечила мама, и загрустил ещё больше.

– Правда? Но я же не могу его достать! – Странный Зверь кивнул в сторону высокой пальмы, на которой росли кокосовые орехи. – Внутри этих орехов молоко, очень вкусное и полезное. Вы не могли бы за ними слазать? Вы же мальчик и должны уметь лазать по деревьям!

– Это запросто! – Пяточкин быстро вскарабкался на пальму, нарвал кокосов и протянул один орех Странному Зверю.

Странный Зверь, путаясь в шкурах, поспешно расколол кокосовый орех и выпил молоко. Потом повернулся к Пете и вежливо поблагодарил:

– Большое спасибо! Скажите, а почему вы плакали?

– Как же мне не плакать? Я должен насчитать десять слоников, иначе я не усну и домой не попаду!

– А вы умеете считать до десяти? – спросил Петю Странный Зверь.

– Конечно, умею, – кивнул Пяточкин. Немного подумав, он добавил шёпотом: – Только неправильно, не по порядку...

– Это ничего, – отозвался Странный Зверь. – Теперь я считаю своим долгом вам помочь!

Он взял кокосовый орех, высоко поднял его над головой и громко крикнул: – Эй, ребята-слонята, все сюда! Есть свежесорванное молоко! Во вкусной кокосовой упаковке! Налетай, угощаю!!!

Тут все разноцветные слонята бросили свои игры, подбежали к Странному Зверю и построились парами.

– А теперь повторяйте за мной, – шепнул Странный Зверь Пяточкину. Он стал раздавать слоникам кокосовые орехи, громко приговаривая: – Один слоник, два слоника, три слоника...

Пяточкин повторял за ним, загибая пальцы на руке:

– Четыре слоника, пять слоников, шесть, семь, восемь, девять... Девять – и всё!?

– Да, – ответил Странный Зверь. – Мы всех пересчитали!

– Но их только девять!? А я должен насчитать десять!

Иначе я всё равно не смогу уснуть, ведь... – Петя Пяточкин опять чуть было не заплакал.

Но Зверь-в-шкурах его уже не слушал:

– А я, по-моему, выздоровел. Благодарю за молоко!

Странный Зверь вылез из воды и стал сбрасывать с себя шкуры. А когда он сбросил последнюю, Петя увидел, что перед ним стоит... Рыжий Слонёнок! Тот самый, егоза и непоседа, заводила всех игр и выдумщик самых весёлых проказ!

– Десять!!! Ура! Вот кто десятый! – обрадовался Пяточкин.

– Ага, – мотнул носом Рыжий. – Бегал-бегал и простудился. Но – спасибо тебе! – уже выздоровел. Давай играть!

– Не могу, – вздохнул Пяточкин. – Я уже насчитал десять слоников, значит – сейчас усну.

– А я, чтобы уснуть, – Рыжий Слонёнок заговорщицки подмигнул, – всегда считаю десять разноцветных мальчиков, десять разноцветных девочек, десять разноцветных воспитательниц и десять разноцветных продавцов мороженого.

– Ух ты! – воскликнул Пяточкин. – Придумал!

В следующий раз я буду считать десять разноцветных обезьян, десять разноцветных попугаев, десять разноцветных крокодилов, десять разноцветных бу...бу...буль...

Но Пяточкин не договорил – он упал в тёплую африканскую речку.

– Буль-буль-бульволов, – крикнул он на прощание Рыжему Слонёнку, закрыл глаза и течение нежно понесло его к водовороту.

Он плыл и слышал, как с одного берега доносились слова Рыжего Слоника:

– Не буль-буль-бульволов, а буй-волов. Куда же ты уснул, Пяточкин?...

А с другого берега звучал знакомый голос:

– Просыпайся, Пяточкин, тихий час окончен.

Около воронки водоворота Пяточкин открыл глаза...

Над ним наклонилась Воспитательница и негромко приговаривала:

– Пора вставать, Пяточкин... Тихий час окончен, Пяточкин...

– То есть как это – «окончен»? – Петя сел в постели и потёр глаза. – Я вот как раз насчитал десять слоников и...

– Простое и весёлое лекарство от твоей «бешшонницы» подействовало, Пяточкин, – улыбнулась Воспитательница. – Ты молодец, спал крепко и никому не мешал.

– Как это «спал»? А Африка? И разноцветные слонята?! – удивился Петя.

Пяточкин озадаченно почесал затылок и крепко задумался.

С тех пор Петя Пяточкин всегда засыпает быстро. Чтобы оказаться поскорее в Африке и встретить там Рыжего Слонёнка. Ведь с ним можно придумать столько весёлых игр и забавных проказ! И в джунглях – это уж точно! – никто им не сделает замечания.

17

КОМПЬЮТЕРНАЯ ПЕСНЯ
ПЕТИ ПЯТОЧКИНА

У Пети Пяточкина папа – специалист по компьютерам. А мама уехала на курорт. Ей дали путёвку на работе.

Компьютерщиком Петин папа работает давно. А на курорт мама уехала недавно – три дня назад.

Что папа – специалист, это хорошо. А то, что мама уехала, – не очень. Потому что суп и второе, которые она приготовила, Петя с папой за три дня съели. Правда, были в холодильнике ещё продукты, но сырые, неприготовленные.

На четвёртый день маминого отсутствия Петя почувствовал, что проголодался. Но готовить он не умел.

И пуговицы у него оторвались... А как их пришить – Пяточкин не знал. Это знала только мама.

И по вечерам скучно стало. Тихо. И даже не в том дело, что тихо и скучно, а как-то неуютно, как-то не так без мамы...

Папа Пяточкин был очень занят. Работа у компьютерщиков трудная, отнимает много времени. Уходил папа на работу рано, приходил поздно. Что-то у него вечно «не ладилось», что-то всё время «барахлило», «глючило» и «не шло». Он очень уставал.

На четвёртый день маминого отсутствия папа, как и Петя, заметил, что проголодался. И пуговицы у него тоже стали отрываться. Правда, не все сразу, как у Пети, а по одной.

А засыпать папа стал прямо за письменным столом над схемой очередного суперробота, которого срочно нужно было сделать. Засыпая, папа невнятно бормотал непонятные слова. Казалось, он над чем-то колдовал:

МЕГАБАЙТЫ – БАЙТЫ – БИТЫ
В ЧЁРНОМ ЯЩИКЕ ЗАКРЫТЫ...

«Заработался, бедный», – жалел папу Петя.

На пятый день маминого отсутствия Петя решил поджарить себе яичницу. Жарил он её прямо со скорлупой, огонь сделал побольше, чтобы готовилась быстрее. Но яичница у Пети почему-то сгорела.

Поздно вечером пришёл с работы голодный папа и тоже решил поджарить себе яичницу. Правда, без скорлупы. Но яичница сгорела и у папы тоже... Кроме того, у него оторвалась ещё одна пуговица – на самом видном месте.

Когда Петя с папой съели последнюю банку варенья, стало ясно – пора что-то предпринять.

– Надо что-то делать! – сказал папа Пяточкин. – Но когда?! У меня совершенно нет времени! Интересно, когда наша мама всё успевала? Она ведь тоже ходила на работу...

– Мне кажется, мы не доживем до её приезда, – печально сказал Петя.

Отец и сын Пяточкины, перемазанные вишнёвым вареньем, сидели на кухне в пижамах и из вишнёвых косточек выкладывали на кухонном столе слово «МАМА».

– Ты же умный, – сказал папе Петя. – Свари мне манную кашу! И пришей пуговицы... Неужели ты умеешь делать только своих несчастных роботов?

– Почему это – «несчастных»? – обиделся за роботов папа. – Постой-постой... Я, кажется, кое-что придумал! – сказал папа и торопливо надел очки.

На следующий день папа взял на работе отгул. Но гулять он, ясное дело, совсем не собирался: не до того было. Наоборот, папа Пяточкин работал целый день, не разгибая спины, но дома. И к вечеру из двух табуреток, старого пылесоса, нового полотера, будильника, настольной лампы, а также множества безымянных больших и маленьких деталей у него получилось НЕЧТО.

– Что это ты собрал?.. вернее, построил... нет, соорудил?.. – удивился Петя.

– Это домашний СУПЕРРОБОТ, – сказал папа, устало вытирая вспотевший лоб. – Он пока, на время, заменит нам маму. Поэтому назовём мы его в честь мамы «Ася». Вернее, «Ася-2». Потому что наша мама – номер один, и никто не может нам её заменить.

– Робот Ася? – переспросил Петя. Получилось «РОБОТАСЯ».

Петя Пяточкин с интересом разглядывал смешное, несуразное, но вместе с тем трогательное существо.

На голову Роботаси папа приспособил мамины металлические бигуди: в них были встроены электронные устройства. Сверху была повязана мамина капроновая косынка в цветочек. Одета была Роботася в мамин ситцевый халат с рюшами и бантиками. На ногах у неё красовались мамины любимые домашние тапочки с помпончиками.

– Итак, – торжественно сказал папа, – включаю систему «Ася-2»! – И он нажал на брошку, приколотую к халату. – Пять, четыре, три, два, один. Пуск!

Глаза Роботаси засветились. Они были серые, как у мамы. Ася-2 улыбнулась и сказала мягким шуршащим голосом, немножко нараспев:

– Здравствуйте, мальчики! Как же я по вам соскучилась!.. Вы, наверное, проголодались? Сейчас я вас быстренько покормлю...

Так всегда говорила мама, когда приходила с работы домой. Произнеся эту речь, Роботася зашлёпала на кухню, напевая на ходу:

МЕГАБАЙТЫ – БАЙТЫ – БИТЫ
В ЧЁРНОМ ЯЩИКЕ ЗАКРЫТЫ...

– Что ты наделал? – зашипел Пяточкин, сурово глядя на папу. Петя старался говорить тихо, чтобы не услышала Роботася, но так, чтобы папа его понял. – Это не мамина песня! Мама всегда поёт про... цветок...

– Да помню я, что про цветок, но не помню, про какой... Слова забыл. – Папе было неловко: получалось, что за много лет совместной жизни с Петиной мамой он не смог запомнить даже слова её любимой песни. – Эх, работа, работа! Времени нет даже песню хорошую выучить... – папа в смущении откручивал последнюю пуговицу.

– Ладно, сойдёт и так. Пап, ты у меня гений, просто немного забывчивый!

И Петя побежал на кухню за Роботасей.

– Угадай, кто сегодня на лепке сделал самую лучшую птичку? – спросил он.

Птичка из пластилина особенно удалась сегодня Пяточкину. Воспитательница похвалила его и отнесла Петину работу на выставку в актовый зал. Пяточкин собирался рассказать об этом Роботасе как можно подробнее.

Но Роботася гремела посудой, собирая на стол, и совсем не собиралась слушать длинные истории.

– Мой руки, сейчас будем обедать, – сказала она Пете.

Роботася всё умела, как мама. И как мама, Роботася делала всё быстро и ловко. Она пришила все оторванные пуговицы, вымыла посуду, пропылесосила квартиру, натёрла полы. Полила цветы и даже довязала начатый мамой свитер со сложным узором.

И в магазин Роботася ходила не хуже, чем мама. Соседи и даже дворовые собаки скоро к ней привыкли. А участковый милиционер перестал подозрительно приглядываться к Роботасе и требовать у неё паспорт.

У Роботаси никогда не подгорала яичница. Она каждый день варила манную кашу и суп. И даже делала, как Петина мама, по субботам пиццу, а по воскресеньям пекла пирожки с капустой.

У Роботаси был замечательный характер. Она часто смеялась – звонко, как будильник. А когда не смеялась, напевала свои любимые компьютерные песенки с непонятными для Пети словами – Интернет, монитор, мышка, терминал, алгоритм, интеграл... Припев у них всегда был один:

МЕГАБАЙТЫ-БАЙТЫ-БИТЫ
В ЧЁРНОМ ЯЩИКЕ ЗАКРЫТЫ...

Однажды поздно вечером, когда Петя уже лежал в кровати, Роботася зашла к нему, чтобы пожелать спокойной ночи и выключить свет. Пяточкин собрался с духом и спросил:

– Роботася, что это за чёрный ящик, про который ты поёшь? Что в нём заперто? Такие странные слова...

– Ты не знаешь? – Роботася очень удивилась. – Как бы тебе объяснить... Ты варил когда-нибудь суп?

Петя покачал головой.

– Ладно, понятно. Зато ты наверняка видел, как это делает мама. Забыл? Я тебе напомню, – с этими словами Роботася подняла указательный палец, на конце которого вдруг зажглась маленькая лампочка.

Тонкий, но очень яркий луч света прочертил тёмную комнату. Роботася медленно водила пальцем по воздуху, как художник карандашом по бумаге, и луч, идущий от лампочки на пальце Роботаси, рисовал светящиеся картинки. Они возникали в темноте Петиной комнаты и, померцав немного, таяли, сменяясь другими.

Петя смотрел во все глаза. Сначала он увидел большой чёрный ящик, который тут же превратился в большую чёрную кастрюлю. Сначала кастрюля была пустая, потом наполнилась водой. Вода закипела. Рядом с кастрюлей появились свёкла, картошка, морковка, лук, чеснок, помидоры, соль, перец и лавровый лист.

Все продукты, как в мультике, прыгнули в кастрюлю. На неё опустилась крышка. Из-под крышки повалил пар. Пар приподнял её, крышка взлетела и исчезла, а из кастрюли выскочила тарелка дымящегося супа.

Рисуя в воздухе эти картинки, Роботася объясняла Пете, что к чему, как диктор за кадром в телевизоре:

– Понимаешь ли, Петя, наш суп – не просто суп. Это не обыкновенные овощи, специи и вода. Это – ИН-ФОР-

МА-ЦИ-Я! ИНФОРМАЦИЯ – это ДАННЫЕ. ВХОДНЫЕ ДАННЫЕ! Я их положила в кастрюлю. Они там варились, варились, варились и сварились в суп. Суп – это тоже ДАННЫЕ. Только изменившиеся, другие – варёные. Вернее – ВЫХОДНЫЕ ДАННЫЕ. Понимаешь – ВЫ-ХОД-НЫЕ! На входе овощи сырые, на выходе – варёные. Чувствуешь разницу между сырой картошкой и варёной? Ну, так вот. Я не знаю, КАК овощи варятся, ПОЧЕМУ они варятся, ЧЕМ они, варёные, отличаются от сырых. Это сложное превращение, друг ты мой дорогой. И всё это происходит в кастрюле. В закрытой кастрюле. КАК? Я не знаю. Поэтому кастрюля для меня – ЧЁРНЫЙ ЯЩИК.

– И телевизор – тоже чёрный ящик, – продолжала Роботася. – Я не знаю, что происходит у него внутри, когда я нажимаю кнопку. Но он включается и показывает нам мультики, фильмы и разные передачи. И ты для меня – чёрный ящик. Я, например, не знаю, почему, когда я тебе говорю, что пора спать, ты не идёшь в кровать.

– Да, чуть не забыла! – хлопнула себя по лбу Роботася. – Кастрюля! Ей, между прочим, всё равно, что варить – картошку, курицу или кашу. Для кастрюли это всё – бим-бом. Но количество, того, что в ней варится, для кастрюли небезразлично. Оно-то и измеряется в БИТАХ, БАЙТАХ и МЕГАБАЙТАХ. В общем, мегабайты, байты, биты – это такие единицы измерения количества продуктов, то есть данных в информатике, которые варятся в кастрюле, то есть в чёрном ящике. Для компьютерщиков эти слова такие же простые и привычные, как для тебя, скажем,

КОНФЕТЫ и КОТЛЕТЫ. Есть ещё килобайты, гигабайты. Много чего есть... Но чтобы во всем этом разобраться хорошенько, надо долго учиться: сначала в школе, потом в институте. Для этого тебе нужно ещё немного подрасти. А чтобы поскорее подрасти, нужно хорошенько высыпаться. Спокойной ночи, малыш!

Так закончила в тот вечер свою «сказку перед сном» Роботася. Петина мама всегда так же прощалась с сыном перед тем, как выключить свет и пожелать ему спокойной ночи.

Дни летели быстро. Наконец вернулась мама. Она приехала поздно вечером. Вошла в квартиру и с порога сказала:

– Здравствуйте, мальчики! Как же я по вам соскучилась!.. Вы, наверное, проголодались? Сейчас я вас быстренько покормлю...

Счастливые Петя и папа крутились у неё под ногами. Мама приехала! Вот радость! Наконец-то!..

А мама тем временем прошла в комнату и увидела Роботасю, которая сидела в кресле у настольной лампы и вышивала на носовом платке своё имя.

– Кто... это? – Мама строго посмотрела на папу.

– Очень рада познакомиться, – вежливо сказала Ася-2 оторопевшей Асе-1. – Я ваша компьютерная копия, модель «АСЯ-2». Зовите меня Роботасей. – Роботася встала навстречу маме и протянула ей руку. – Мне кажется, мы поймём друг друга.

И правда, мама и Роботася быстро нашли общий язык. Когда Петя и папа уснули, они ещё долго сидели на кухне и, как закадычные подружки, обсуждали проблемы воспитания детей, направления современной моды и кулинарные рецепты.

А утром – это было воскресенье – Петя позвал маму на кухню.

– Смотри, – сказал он ей. – Вот я беру ИСХОДНЫЕ ДАННЫЕ.

И Петя взял муку, молоко, яйца, сахар и соль. Всё это Петя перемешал, замесил тесто, слепил пирожки.

– А теперь помещаю ДАННЫЕ в чёрный ящик. – Петя поставил противень с пирогами в духовку.

Когда пирожки зарумянились, Петя вынул их и сказал:

– Смотри, получилась НОВАЯ ИНФОРМАЦИЯ! Вкусная, правда?

– Потрясающе! – всплеснула руками мама. – Да у тебя же задатки компьютерщика, сынок! Или... кулинара? Что-то никак не разберусь... А ты, Роботася, настоящий педагог! Как тебе удалось так быстро обучить моего сына кулинарии... То есть информатике? Он за последнее время так изменился, так много теперь знает!..

– Это же просто! – воскликнул Петя. – Я тебе сейчас всё объясню...

И Пяточкин рассказал маме Роботасину «вечернюю сказку».

Вскоре пришёл домой папа. Он очень удивился, когда услышал, что Петя, мама, и Роботася распевают на кухне хором компьютерные песенки с припевом:

МЕГАБАЙТЫ-БАЙТЫ-БИТЫ
В ЧЁРНОМ ЯЩИКЕ ЗАКРЫТЫ...

Мама и Роботася в одинаковых халатах с рюшами и бантиками, в косынках с цветочками и в тапочках с помпончиками в такт песне синхронно проделывали танцевальные движения, словно выступали на сцене. А Петя подпевал им и дирижировал ложками-поварёшками, не забывая при этом помешивать в кастрюлях, кипящих на плите.

Папа подождал конца песни и сказал:

– Мне кажется, что Петю и маму нужно записать в кружок информатики при нашем районном клубе «Форум».

Все с ним согласились, и на следующий день папа записал маму и Петю в кружок. Они занимались очень прилежно и скоро смастерили для папы робота. Он должен был помогать папе в работе, так же как Роботася помогала маме по дому.

Назвали Робота в честь папы «Толик». Вернее, «Толик-2». Потому что папа – номер один, и никто не может его заменить. Так в семье появился РОБОТОЛИК.

Роботолик помнил все формулы наизусть, и папе не нужно было подолгу искать их в справочниках. Он мгновенно складывал, вычитал, делил и умножал, чертил любые схемы и писал сложные программы. Робот здорово помогал папе, и у него появилось наконец свободное время.

Тогда папа тоже пошёл в клуб «Форум» и записался в кружок пения. Там он выучил, наконец, мамину любимую песню про цветок. И теперь часто напевал: «Чёрная роза – эмблема печали, красная роза – эмблема любви...»

ПЕТЯ ПЯТОЧКИН И ДЕД МОРОЗ

Был солнечный зимний день накануне Нового года. «Хрус-с-с-хрус-с-сть!» – скрипел под ногами снег, подмёрзший за ночь. «Дз-з-з-зи-и-дз-з-зинь!» – тоненько звякали сосульки, разбиваясь об асфальт. «А-а-ах-х!» – вздыхали снежинки, опускаясь на ветви деревьев, крыши домов и машин, воротники и шапки прохожих. Если идти медленно, обязательно услышишь, как зима разговаривает...

Но Петя Пяточкин медленно ходить не умел. Поэтому он слышал только, как скрипят его ботинки, когда он скользил по заледеневшей дорожке: «вж-ж-жух, вж-ж-жух». Или «топ-топ» да «бух-бух» – это когда он бежал и прыгал, опаздывая, как всегда, в детский сад.

Рыжеволосый, курносый, глазастый и ушастый Петя Пяточкин, известный егоза и непоседа, заводила всех игр и выдумщик весёлых проказ, как снежный вихрь влетел во двор и забросал детей снежками.

– Ура, Пяточкин пришёл! – обрадовались детсадовцы, отбиваясь от снежной атаки.

– Ох уж этот Пяточкин... – вздохнула Воспитательница. – Не балуйся, Петя! Стань в строй, мы идём в парк.

В этот замечательный зимний день накануне Нового года Воспитательница решила повести детей кататься на санках с горок в городском парке.

Снег в парке – белый-белый, небо – синее-синее, солнце – жёлтое-жёлтое. А щёки у Пети Пяточкина от мороза и беготни – красные-красные. Пете жарко: ни секунды не стоит он на месте! Куртка на нём расстёгнута, шапка съехала на одно ухо. Снятые рукавички болтаются на резинках и едва успевают догнать шебутного хозяина. Шарф размотался и полощется на ветру, как знамя, путается и мешает Пете. Но зато края шарфа с успехом заменяют носовой платок, который Пяточкин, как всегда, забыл дома.

Детворе в парке – раздолье. Хочешь – бросайся снежками сколько душе угодно. Хочешь – несись с визгом с горы на старой шине, фанерине или картонке. Хочешь – гоняй варежку вместо шайбы на затянутом льдом маленьком озере. А ещё можно стоять под деревом и дёргать его за ветки, согнувшиеся под тяжестью снежной шубы. Или просто закрыть глаза, замереть под снегопадом и почувствовать себя снеговиком. Снеговика, кстати, тоже можно слепить.

Петя Пяточкин очень любил ходить в парк. Но сегодня, в этот чудесный зимний день накануне Нового года, как назло, нужно было смирно стоять и терпеливо ждать: когда же наконец придёт его, Пети-Пяточкина, очередь съехать с горки на единственных на всю группу санках.

Но разве может непоседа Петя Пяточкин смирно стоять и терпеливо ждать? Конечно же, нет! И Пяточкин, не раздумывая, скатился с горки кубарем.

– Пяточкин!!! – сердито закричала ему вслед Воспитательница.

– Что – Пяточкин? – поинтересовался Петя, вылезая из сугроба и вытирая нос шарфом.

– Пя-я-яточкин!! – Воспитательница бежала к нему через сугробы.

– Что-о-о? – крикнул Пяточкин, уезжая на спине по обледеневшему склону.

– Пя-я-яточкин!!! – всхлипнула Воспитательница, окончательно увязнув в снегу.

– Что? – спросил Пяточкин, карабкаясь к ней на коленках.

– Твоя очередь. Ты за Катей следующий, – сказала Воспитательница, безнадёжно вздыхая.

– Иду!

И Пяточкин послушно направился на горку, где стояли ребята из его группы. Но неожиданно снежная пыль с головы до ног осыпала Петю и на миг залепила ему глаза.

– Эй, ты чего снегом кидаешься?! – Пяточкин вытер лицо и удивлённо огляделся.

Рядом никого не было. Только далеко внизу, вздымая снежные вихри, нёсся Кто-то на деревянной доске, похожей на широкую и короткую лыжу. Этот Кто-то выписывал на своей необыкновенной лыжине лихие зигзаги и петли. Он подпрыгивал вместе с ней высоко в воздух. Он даже... кувыркался через голову!

Петя следил за таинственным незнакомцем, как завороженный. У него даже дыхание перехватило: такое «фигурное катание» на доске Пяточкин видел раньше только по телевизору! Но Кто-то быстро умчался в снежном облаке вниз по склону и исчез за поворотом...

– Вот это да-а-а!!! –
наконец пришёл в себя Пя-
точкин и в восторге прищёлк-
нул языком. – Сноуборд – это тебе не санки... и даже не лыжи! –
И мечтательно добавил: – Вот бы и мне так! На сноуборде...

– Пяточкин, ты что, уснул?! – вдруг услышал Петя голос Воспитательницы, давно его звавшей. – Твоя очередь ехать! Са-
дись на санки и обязательно держись за верёвку.

– Ага... – буркнул Петя.

Настроение было испорчено. Разве захочется ехать на санках, если в мечтах мчишься на сноуборде? Но долго огорчать-
ся Пяточкин не умел. Ведь нет на свете ничего невозможного,
если ты – Петя Пяточкин!

Петя мигом вскочил на санки. Встал боком, как сноубордист,
выставив для упора правую ногу вперёд. Присел, оттолкнулся
и понёсся вниз.

– Пяточки-ин!!! Ты что-о-о?! Ты куда-а-а?! Стой, упадёшь! –
испуганно закричала Воспитательница. Она рванулась было за
Петей, но поскользнулась и упала сама. – За верёвку, за верёв-
очку держись!

Причём здесь верёвочка?.. В ушах у Пети свистел ветер. Он за-
жмурился и изо всех сил старался держать равновесие. «Смотрите,
смотрите, – слышались ему в шуме ветра восторженные голоса. –

Вот так Петя, ну и Пяточкин, ну даёт! Мчится вниз, как стрела, ноги как пружины, глаза устремлены вперёд. Ой, там трамплин! Вот это да!!! Наш Петя оторвался от земли, взлетел, перекувырнулся через голову, ловко приземлился и как ни в чём не бывало мчится по склону дальше...»

На самом деле проехал Пяточкин совсем немного. Санки врезались в сугроб и остановились. Петю подбросило высоко вверх, и его шарф, взметнувшись, зацепился за толстую ветку высокого дерева. Пяточкин даже не успел испугаться: петли старенького вязаного шарфа мгновенно стали распускаться, шарф – удлиняться, а Петя – потихоньку опускаться на землю.

Приземлился Петя прямо в мягкий сугроб и тут же забарахтался в нём, выбираясь. Наконец встал на утоптанный снег, немого отряхнулся и огляделся вокруг.

Неподалёку от сугроба стояла ёлка. Вокруг неё неуклюже топталась Пети-Пяточкина подружка Катя. Она вешала на ёлку гирлянду из бумажных флажков. На каждом флажке было что-то написано или нарисовано.

– Ёлочку мучаешь? – вдруг раздался за спиной у девочки хриплый голос.

Катя обернулась.

– Ой! – испуганно вскрикнула она, оступилась и села в снег: на неё медленно надвигался снеговик.

Снеговик попрыгал чуть-чуть на месте, стряхивая снег, отёр дырявым шарфом лицо и стал отдалённо напоминать Петю Пяточкина.

– Пяточкин?! Ты зачем меня пугаешь?

Катя встала и принялась развешивать гирлянду дальше. Петя, недоумевая, следил за ней.

– Ёлку наряжаешь? – спросил наконец Пяточкин.

– Нет, не наряжаю, – серьёзно ответила Катя.

– Я что, слепой? Вижу же, что наряжаешь, – стоял на своём Петя.

– Ничего подобного, не наряжаю, – упрямилась Катя.

– Не наряжаешь, да? А что же ты делаешь? – не отставал Петя.

– Что надо, то и делаю! – не сдавалась Катя.

– И что же тебе надо? Понаписала каляки-маляки какие-то на флажках, только гирлянду испортила, – задирался Пяточкин.

– И вовсе это не каляки-маляки, – обиделась Катя, – это мои желания! Дед Мороз их прочитает, в Новогоднюю ночь принесет всё, что я попросила, и под ёлку положит. У меня дома на ёлке уже места не осталось для желаний, поэтому я тут, в парке, их развешиваю.

– Ого! – только и мог сказать Петя. Гирлянда с Катиными желаниями уже несколько раз обвивала ёлку, и ещё большой кусок лежал на снегу, ожидая своей очереди.

– Не «ого», а ого-го! – задрала курносый нос Катя. – Я и ещё гирлянду могу исписать. У меня, конечно, есть одно САМОЕ ГЛАВНОЕ ЖЕЛАНИЕ: я хочу платье, как у настоящей принцессы. Но есть ещё много неглавных. К платью я хочу куклу с длинными волосами и куклу с короткими, маленького твёрдого мишку для рюкзака и большого мягкого мишку, чтобы его рядом с подушкой укладывать, сумочку через плечо и сумочку на пояс, жёлтый браслет и красные бусы, колечко с зелёным камушком и колечко с синим, туфли на каблуках и без каблуков...

Пяточкину стало скучно. Перестав слушать Катину болтовню, он зевнул и подумал про себя: «Ну и дурацкие у девчонок желания! Недурацкие – только у мальчишек. Взять хотя бы меня. Что я хочу на Новый год? Футбольную майку с номером «10» – это раз. Боксёрские перчатки – это два. Новую модель спортивной машины с двумя дверями и чтобы капот открывался – это три. Ролики, клюшку с шайбой...»

Пяточкин, зажмурившись, представлял свои важные и умные мальчишечьи желания. Среди них появились уже и боксёрская груша, и детская железная дорога, и катер с дистанционным управлением, и ещё много вещей, совершенно необходимых в жизни каждого мальчишки.

Но неожиданно неизвестно почему в Пети-Пяточкино воображение вплыли глупые Катькины желания: разные куклы, юбочки, сумочки, колечки... Катины желания перепутались с Пети-Пяточкиными, и всё это вместе стало напоминать витрину детского магазина.

– Пяточкин, а что ты просишь у Деда Мороза на Новый год? – вывел Петю из задумчивости Катин голос.

– Я?.. – Пяточкин очнулся от грёз и открыл глаза. – Да у меня разных желаний – полный вагон! – важно сказал он. – Но главное, самое-самое большое – одно...

Петя опять закрыл глаза и представил своё САМОЕ ГЛАВНОЕ ЖЕЛАНИЕ. Выглядело оно красиво, как глянцевая фотооткрытка. Синее-синее небо, жёлтое-жёлтое солнце. И он, Пятя Пяточкин, летит на сноуборде с красными-красными от мороза и ветра щеками с белой-белой снежной горы!

– А Дед Мороз все желания читает? – Петя открыл глаза и с тревогой посмотрел на Катю.

– Конечно, читает, – уверенно ответила она.

– И что – все желания исполняет? – сомневался Петя.

– Конечно! Работа у него такая. Настоящий Дед Мороз всё исполняет...

– А что, бывает... «НЕнастоящий» Дед Мороз?! – насторожился Петя.

– До чего ты, Пяточкин, смешной! Нич-ч-чегошеньки ни в желаниях, ни в Дедах Морозах не понимаешь. Смотри, получишь в подарок шарфик какой-нибудь! – Катя засмеялась, бросила в Петю снежком и убежала.

– Это я-то ничегошеньки не понимаю?! Ну, Катька, погоди! – разобиделся Пяточкин. И зря: в Дедах Морозах и подарках Петя разбирался и правда плоховато.

– Да я найду САМОГО НАСТОЯЩЕГО Деда Мороза и сам

передам ему своё САМОЕ ГЛАВНОЕ ЖЕЛАНИЕ! – продолжал кипятиться Петя. – И другие, неглавные, тоже передам. Лично в руки! И получу в подарок всё-всё-всё!

Пяточкину очень хотелось, чтобы эта зазнайка Катька изменила своё мнение о нём.

«Главное – не уснуть в Новогоднюю ночь!» – решил Петя, вытирая остатками шарфа мокрый нос.

Дома Пяточкин никак не мог найти большой лист бумаги, на котором можно было бы написать своё большое ГЛАВНОЕ ЖЕЛАНИЕ. Пришлось вырвать из маминого журнала мод глянцевый лист, края которого пестрели текстом и рисунками, а середина была белой и чистой.

«Тут я и нарисую своё САМОЕ ГЛАВНОЕ ЖЕЛАНИЕ!» – решил Петя и изобразил на журнальной странице широкую и короткую лыжу – сноуборд. Честно говоря, о том, что это доска для катания, догадаться было непросто. Петин рисунок напоминал скорее тупой карандаш или варежку без большого пальца.

Но хорошо ли, худо ли – главное было сделано. Осталось записать многочисленные неглавные желания. Чтобы не тратить время на поиски бумаги, Пяточкин снял с ёлки бумажные снежинки, которые недавно вырезал в детском саду, и принялся за работу. Петя знал все буквы, но складывать их в слова ещё не умел. Но это его ничуть не смущало. Пяточкин писал так, как ему казалось правильно, или просто рисовал своё желание. Через полчаса всё было готово, и довольный собой Пяточкин выбежал из дома, рассовав по карманам

куртки листки с желаниями. Уверенными шагами направился Петя в сторону главной площади.

Зимой, как известно, темнеет рано. Вечерело, и город, украшенный к Новому году, сиял огнями. Каждый дом, каждое окошко люди украсили в ожидании праздника. Большими тёплыми пятнами светились витрины. Даже обычные деревья походили на сказочные цветы: их кроны, окутанные сетью крошечных лампочек, светились мягким волшебным светом. И величественно и ярко сияла на главной площади самая большая и красивая ёлка города.

Деда Мороза Пяточкин встретил почти сразу, на соседней улице. Волшебник шёл в толпе прохожих, размахивая красным мешком. Петя бросился к нему, на ходу вытаскивая из карманов листки со своими желаниями.

– Дорогой Дедушка Мороз!.. – начал было Пяточкин.

– А-а-а, пым-пым! А-а-а, пым-пым! – радостно пропел в ответ Дед Мороз.

– Я хотел бы вам... у меня тут... – сбивался от волнения Петя.

– А-га-га, пы-ым-пым! – закивал головой Дед Мороз.

«Странный какой-то Дед Мороз», – подумал про себя Пяточкин и присмотрелся к сказочному Деду повнимательнее. И – вот чудеса! – обнаружилось, что по длинной белой Дед-Морозовой бороде вились тоненькие проводки, в ушах были крошечные наушники, а из кармана выглядывал... маленький плеер. Дед Мороз не слушал Пяточкина, он слушал музыку!

Пяточкин в растерянности остановился, глядя в спину удаляющемуся танцующей походкой «волшебнику». Нет, это был не настоящий Дед Мороз! Не успел Петя расстроиться, как увидел неподалёку ещё одну белую бороду и красный костюм.

– Здравствуйте, дорогой Дедушка Мороз! – подбежал к нему Пяточкин, протягивая листики с желаниями.

– Что тебе, мальчик? – ласково улыбнулся ему седой Дедушка, хлопая сильно накрашенными ресницами и заправляя рыжие кудряшки под шапку.

Сомнения вновь закрались в душу Пяточкина. Он подозрительно оглядел и этого Деда Мороза. В ушах у него переливались большие серёжки, на губах блестела помада. А когда ветер отвернул полу длинного тулупа, Пяточкин увидел, что этот «Дед Мороз» носит юбку и нарядные кружевные колготки. Опять обман!

– С Новым годом, малыш! – сказал «Дед Мороз» девчоночьим голосом и звонко рассмеялся.

Тут к ним подошёл третий Дед Мороз. Из-под его тулупа выглядывали потрёпанные джинсы. В обеих руках он держал по сосиске в тесте. Одну он протянул Дедушке в юбке, другую надкусил сам. Деды Морозы обнялись и скрылись в толпе.

Потом Пяточкин увидел Деда Мороза, который радостно кричал в мобильный телефон: «Жди меня, Снегурочка! Сейчас переоденусь, возьму такси и приеду».

Пяточкин медленно шёл по улице, ведущей на главную площадь города. Деды Морозы встречались теперь на каждом шагу. Город был просто переполнен седобородыми дедушками в красных тулупах, с мешками и посохами в руках. Одни раздавали детишкам конфеты, другие продавали напитки и жареные орешки. Один Дед Мороз читал вечернюю газету, пристроившись под фонарём. Другой довязывал носок на скамеечке у входа в парикмахерскую.

На центральной площади возле главной ёлки города Пяточкин неожиданно для себя оказался в центре весёлого хоровода. Множество Дедов Морозов, держась за руки, топали валенками, хлопали варежками, постукивали посохами, размахивали мешками и пели разудалую Дед-Морозовскую песню. Это уже было выше Петиных сил! Едва живой, Пяточкин протиснулся сквозь строй «волшебников» и бросился прочь.

Не чуя под собой ног, Петя подбежал к городской ёлке, заполз под неё и без сил опустился на разбросанные по земле ветки. Ёлка сияла над ним разноцветными лампочками и шарами. Но Пяточкин не видел всей этой красоты. Ему было очень грустно.

– Ни одного, ни одного настоящего... – горько бормотал Петя, вытирая набежавшие слёзы измятыми снежинками с неисполненными желаниями.

– Как это «ни одного»? – раздался тихий голосок совсем рядом.

Петя обернулся и увидел перед собой маленького пушистого котёнка. От неожиданности Пяточкин потерял дар речи.

– Я спрашиваю, кого «ни одного настоящего»? – нетерпеливо переспросил котёнок.

Петя, несмотря на удивление, всё равно решил пожаловаться:

– Ни одного настоящего Деда Мороза! Один обман, – сказал он и всхлипнул.

– Ошибаешься! Не один обман, а два, – возразил котёнок.

– Почему – два? – не понял Петя.

– Первый обман: ни одного настоящего Деда Мороза во всём городе – одни переодетые актёры и студенты, да ещё пенсионеры подрабатывают. Второй обман: деревянный Дед Мороз под ёлкой и есть Самый Настоящий Дед Мороз! – торжественно провозгласил Петин новый знакомый.

– Это он-то, что ли, настоящий? Он же деревянный! – широко раскрыл глаза Петя Пяточкин.

– Вот и все так думают, – недовольно мяукнул котёнок. – Затем он и деревянный, чтобы никто не догадался, что он на са-

52

мом деле – настоящий! Должно произойти чудо в новогоднюю ночь? Должно! И ты его скоро увидишь: как только часы пробьют двенадцать раз, он оживёт и начнёт разносить подарки.

Пяточкин не успел в ответ сказать ни слова – над площадью раздался бой часов.

«Один, два, три...» – считал про себя удары Петя.

Часы пробили двенадцать раз, и деревянный Дед Мороз на глазах изумлённого Пети ожил и превратился в Самого Настоящего Дедушку Мороза! Высокого, широкоплечего, румяного, с настоящей густой бородой.

– Так, волшебство подействовало, пора за работу, – улыбнулся Дед Мороз. – Пока, дружок!

Вскинув мешок на плечо, он выбрался из-под ёлки.

– Подожди, – бросился ему вдогонку Петя, – ты же не взял мои желания! Вот они!

И Пяточкин протянул Деду Морозу скомканные и мокрые от слёз свои желания-снежинки. Дед Мороз хотел их взять, но листики выпали из его одетой в тёплую варежку руки. Ветер подхватил их, и кривоватые бумажные снежинки, кружась, полетели над площадью.

– Ой! Мои желания... – огорчился Петя.

– Пусть летят! Я их все прочёл, пока ты слёзы вытирал, – улыбнулся Дед Мороз. И проворчал в густые усы, качая головой: – Ох уж эти малыши! Желаний у них – полные карманы. Мне, старику, одно мучение разбирать их каляки-маляки с ошибками!

Напутаю чего, сами же
потом обижаться будут...

Детвора, детвора! Забыли, что
в Новогоднюю ночь только САМОЕ
ГЛАВНОЕ ЖЕЛАНИЕ исполняется!

– У меня есть САМОЕ ГЛАВНОЕ ЖЕЛАНИЕ! – крикнул Пяточкин. – Вот оно!

И Пяточкин полез в карман за глянцевой страницей из маминого журнала, на чистой стороне которой был нарисован не то тупой карандаш, не то варежка без большого пальца.

– Знаю я его, знаю! – пробормотал Дед Мороз, махнул посохом и исчез...

Назавтра, в первый день нового года, часы в гостиной у Пяточкиных били 12 раз, возвещая полдень. Вдруг дверь распахнулась, и на пороге появился заспанный Петя, босиком и в пижаме.

Он бросился к ёлке. Там, возле маленького тряпичного Деда Мороза, лежали два пакета, перевязанные синими лентами. Пяточкин схватил один, сорвал с него ленточку, с трудом разорвал неподатливую подарочную бумагу, открыл коробку и... чуть не заплакал.

Там лежал... шарфик! Обычный шерстяной шарфик, похожий на тот, которым Пяточкин на прогулке вытирал нос, и который порвался, когда Петя висел на дереве в парке. Пяточкин в сердцах швырнул шарфик в угол и с отчаянной надеждой

принялся рвать бумагу, в которую был завёрнут второй подарок.

В коробке лежала блестящая девчоночья сумочка! Наверное, о такой и мечтала Катя из детского сада...

В следующую секунду сумочка полетела в угол вслед за шарфом, а Петя Пяточкин сел под ёлку и заплакал. Конечно, мама не раз говорила ему, что мужчины не плачут, они только огорчаются. Но сейчас Пете было так плохо!.. Он плакал так горько, что даже не видел, как сумочка ударилась о пол, раскрылась и из неё вылетела яркая фотооткрытка. Она взмыла вверх, покружилась немного в воздухе и упала к Петиным ногам.

Пяточкин поднял открытку. Слёзы всё ещё застилали ему глаза, поэтому картинка казалось расплывчатой, но знакомой: синее-синее небо, жёлтое-жёлтое солнце, белая-белая высокая гора. С горы в фонтане снежных искр спускался маленький сноубордист.

– С добрым утром и с Новым годом, сынок! Не помни открытку, – сказал вошедший в комнату папа. – Это приглашение на курсы сноубордистов. Мы с мамой тебя на них записали. Готовься: через два дня едем в горы.

– Неужели правда?! Значит, мое САМОЕ ГЛАВНОЕ ЖЕЛАНИЕ Дед Мороз исполнил! – Петины слёзы мгновенно высохли сами, без помощи носового платка. – Значит, это был НАСТОЯЩИЙ Дед Мороз...

– Конечно, настоящий! – В комнату вошла мама. В руках она держала блюдо, от которого шёл чудесный запах печенья с корицей.

– Но шарфик-то я Деду Морозу не заказывал! И зачем он подарил мне девчоночью сумку?! – недоумевал Петя.

– Не знаю, не знаю, – улыбнулась мама. Она крутила в руках изрядно помятую страницу из своего любимого журнала мод. На одной стороне рукой Пети было нарисовано что-то непонятное. А на другой стороне журнального листа была реклама: блестящая сумочка рядом с тёплым шарфом. Мама вставила вырванный лист обратно в журнал и убрала его на всякий случай подальше, чтобы больше никто случайно его не портил.

– Шарфик пригодится, твой ведь совсем порвался... – сказала она. – А сумочку можно подарить какой-нибудь девочке. Ну, давайте пить чай, – и мама начала разливать чай по чашкам. Но...

Но тут в комнату вошёл, зевая и потягиваясь, пушистый котёнок. Он прыгнул на руки к Пете и радостно замурлыкал.

– А это мой подарок вам! – сказал Петя.

– В семье пополнение, – улыбнулась мама.

– Принесу молоко, – папа направился в кухню.

И в этот момент в дверь позвонили. На пороге стояла заплаканная Катя. На ней была футбольная майка с номером 10. Рукой в боксёрской перчатке девочка вытирала набегающие на глаза слёзы. Прерывающимся голосом она сказала:

– Дед Мороз всё напутал! Я это не заказывала!

И Катя, сердито насупив брови, швырнула в Пяточкина перчаткой.

– Чего кидаешься? Я-то тут при чём! Наверное, перепутал. Вообще-то это я хотел боксёрские перчатки, – согласился с Катей Пяточкин.

– Вот и оставь их себе! – всхлипнула Катя.

– Ладно. Тогда ты возьми вот это. Думаю, это для тебя.

И Пяточкин протянул Кате блестящую сумочку.

– Ох! – Катины слёзы высохли так же мгновенно, как совсем недавно – у Пети. Счастливая Катя с сияющими глазами вертела сумочку в руках. – Какая красивая! Даже лучше, чем я задумала, в ней и зеркальце есть! Да, совсем забыла, это, наверное, тоже тебе, – с этими словами Катя стянула с себя длинную футбольную майку с номером «10» и отдала её Пете.

61

Какое чудесное платье было, оказывается, на Кате под футболкой! С бабочками и цветочками, бантиками и оборочками.

– Правда – замечательно?! Моё самое большое ГЛАВНОЕ ЖЕЛАНИЕ Дед Мороз всё-таки исполнил! – И Катя закружилась по комнате.

– Какая ты красивая в своём ГЛАВНОМ ЖЕЛАНИИ! Платье – как у настоящей принцессы.

Пяточкин смотрел на Катю так, будто видел её впервые.

А потом дети пили чай с маминым чудесным печеньем и беседовали.

– Надо придумать ГЛАВНОЕ ЖЕЛАНИЕ на следующий Новый год! – говорил Пяточкин.

– Да, – соглашалась Катя. – Но выбрать ГЛАВНОЕ ЖЕЛАНИЕ трудно, очень уж меня неглавных много...

– Ну, у нас ещё целый год впереди... А хорошо всё-таки, что есть настоящий Дед Мороз! – сказал Пяточкин.

– Конечно, я же тебе говорила! – кивнула Катя. – Кто ещё может столько подарков принести за одну ночь?! А пошли-ка, Пяточкин, погуляем, – предложила она.

Петя Пяточкин и Катя медленно шли по улице. Они слушали, как разговаривала зима: хрустел нетронутый снег, звенели сосульки, тихо вздыхали снежинки...

– А я через два дня уезжаю в горы, на сноуборде кататься, – поделился своей радостью Петя.

– А я иду на бал принцесс, – сказала Катя, засмеялась и бросила в Пяточкина снежком.

Видання для читання дорослими дітям
Серія «Мрійники»
заснована 2015 року

Наталя ГУЗЄЄВА

Як Петрик П'яточкин слоників рахував
(російською мовою)

Випускаючий редактор Н. Ю. Олянішина
Художній редактор О. С. Кандиба
Дизайн і верстка І. О. Цибань, В. О. Верхолаза
Коректор І. М. Тумко
Дизайн обкладинки Т. С. Пархоменко

Підписано до друку 16.08.2015. Формат 84x100/16
Папір офсетний. Друк офсетний. Гарнітура PT Sans
Ум. друк. арк. 6,22. Наклад 1000 прим. Зам. № 4971

ТОВ «Видавництво "Віват"»
Свідоцтво ДК 4601 від 20.08.2013

**Придбати книжки за видавничими цінами та подивитися
детальну інформацію про інші видання можна на сайті**
www.vivat-book.com.ua

**Замовити книжку можна листом
Поштова адреса:**
61037, Україна, м. Харків, вул. Гомоненка, 10
e-mail: zakaz@vivat.factor.ua

З питань оптових поставок звертатися:
тел. (057) 714-91-73
Поштова адреса:
61037, Україна, м. Харків, вул. Гомоненка, 10
e-mail: zakaz@vivat.factor.ua

Віддруковано згідно з наданим
оригінал-макетом у друкарні «Фактор-Друк»
61030, Україна, м. Харків, вул. Саратовська, 51
Тел. +38 (057) 717-53-55

Г 93
Гузєєва Н.
Як Петрик П'яточкин слоників рахував / худож.
Оксана Батуріна. — Х.: Віват, 2015. — 64 с.: іл. —
(Мрійники).

ISBN 978-617-690-123-5
ISBN 978-617-690-137-2 (серія)

Ох і Петрик! Від його витівок дорослі хапаються
за голови, а діти в дитсадку не можуть дочекатися, коли
Петрик знову веселитиме їх усілякими вигадками. Ще б
пак! Коли Петрик у садочку, він гуде, ніби вулик, навіть
у тиху годину! Та одного разу вихователька порадила
хлопчику заплющити очі й порахувати... слоненят! Що
з цього вийшло, а також про інші пригоди рудого хлоп-
чика, ви дізнаєтеся з книжки Наталі Гузєєвої «Як Петрик
П'яточкин слоників рахував».

УДК 82-34
ББК 84(2)

Издание для чтения взрослыми детям
Серия «Мечтатели»
основана в 2015 году

Наталья ГУЗЕЕВА

Как Петя Пяточкин слоников считал

Выпускающий редактор Н. Ю. Олянишина
Художественный редактор О. С. Кандыба
Дизайн и верстка И. А. Цыбань, В. А. Верхолаза
Корректор И. Н. Тумко
Дизайн обложки Т. С. Пархоменко

Подписано к печати 16.08.2015. Формат 84x100/16
Бумага офсетная. Печать офсетная. Гарнитура PT Sans
Усл. печ. л. 6,22. Тираж 1000 экз. Зак. № 4971

ООО «Издательство "Виват"»
Свидетельство ДК 4601 от 20.08.2013

**Купить книги по издательским ценам и посмотреть детальную
информацию о других изданиях можно
на сайте www. vivat-book.com.ua**

**Заказать книгу можно письмом
Почтовый адрес:**
61037, Украина, г. Харьков, ул. Гомоненко, 10
e-mail: zakaz@vivat.factor.ua

По вопросам оптовых поставок обращаться:
тел. (057) 714-91-73
Почтовый адрес:
61037, Украина, г. Харьков, ул. Гомоненко, 10
e-mail: zakaz@vivat.factor.ua

Отпечатано согласно предоставленному
оригинал-макету в типографии «Фактор-Друк»
61030, Украина, г. Харьков, ул. Саратовская, 51
Тел. +38 (057) 717-53-55

Г 93
Гузеева Н.
Как Петя Пяточкин слоников считал / худож.
Оксана Батурина. — Х.: Виват, 2015. — 64 с.: ил. —
(Мечтатели).

ISBN 978-617-690-123-5
ISBN 978-617-690-137-2 (серия)

Ох уж этот Петя! От его выходок взрослые хватаются
за головы, а дети в детском саду не могут дождаться, когда он снова будет их веселить всевозможными выдумка-
ми. Ещё бы! Когда Петя в саду, он гудит, будто улей, даже
в тихий час! Но однажды воспитательница посоветовала
мальчику закрыть глаза и сосчитать... слоников! Что из этого вышло, а также о других приключениях рыжего мальчи-
ка, вы узнаете из книги Натальи Гузеевой «Как Петя Пяточкин слоников считал».

УДК 82-34
ББК 84(2)